C000151211

Mathis

# Mouche-toi !

EDITIONS
THIERRY
MAGNIER

- Ha ha! Je suis si gentil, si mignon et si beau...

- Vous dites ça parce que vous êtes petits et moches! Je vous parie qu'avant ce soir, maman et papa diront que je suis mignon, gentil et beau!

- Hé hé! Moi, je sais comment faire plaisir à maman!

- Mamaaan!

- Ce sera peut-être
plus facile avec papa.

- Papaaa! Regarde, j'ai ramassé les feuilles mortes du jardin!

– Proiiin!

– Et voilà!

- Maman! Papa! Regardez!
  Je me suis mouché tout seul!

© Éditions Thierry Magnier, 2013
www.editions-thierry-magnier.com
ISBN 978-2-36474-300-7
Dépôt légal : août 2013
Loi n° 49-956 du 16 juillet 1949
sur les publications destinées à la jeunesse.
Achevé d'imprimer sans mouchoir
par Proost (Belgique) en juillet 2013.
Éditrices : Angèle Cambournac / Camille Deltombe
Assistante d'édition : Florie Briand
Conception graphique : La Maison David
Photogravure : Terre Neuve